이야기: 한 해를 돌아보며

정재운 장현화 이영진 민은숙 김정화 최진호 뽀뽀리

엮은이 정재운

이야기: 한 해를 돌아보며

발 행 | 2024년 1월 9일
저 자 | 정재운 장현화 이영진 민은숙 김정화 최진호 뽀뽀리
엮은이 | 정재운
펴낸이 | 한건희
펴낸곳 | 주식회사 부크크
출판사등록 | 2014.07.15.(제2014-16호)
주 소 | 서울특별시 금천구 가산디지털1로 119 SK트윈타워 A동 305호
전 화 | 1670-8316
이메일 | info@bookk.co.kr

ISBN | 979-11-410-6554-6

www.bookk.co.kr

이야기: 한 해를 돌아보며

정재운 장현화 이영진 민은숙 김정화 최진호 뽀뽀리

엮은이 정재운

BOOKK

서문

이 책은 "우리의 이야기로 도움이 필요한 곳에 새로운 이야기를 선물하자!"라는 슬로건으로 시작된 〈이야기 프로젝트〉의 두 번째 작품입니다.

2024년이 시작된 지금, 이야기 프로젝트의 두 번째 작품을 통해 소중한 분들과 2023년에 대한 기억들을 나눠보고 싶었습니다. 각자의 위치에서, 서로 다른 모양으로 살아온 우리 작가님들의 세상이 궁금하지 않으신가요? 함께 그 세상을 마주하러 떠나봅시다.

이야기 프로젝트를 위해 소중한 시간을 내어주신 독자 여러분들께, 부디 제 소중한 인연들의 글이 멋진 선물이 되기를 간절히 바랍니다.

2024년 1월,

엮은이 정재운

차례 _

첫 번째 작가, 정재운

Instagram: @writernreader_j

순간을 영원으로 간직하고자 글을 씁니다.

풋풋한 사랑의 기억과 일상의 기억을 영원으로 간직하고 싶었습니다. 그런 마음으로 사랑하는 사람과의 기억을 영원으로 담고자 애쓰고, 일상에서 가볍게 지나칠 수 있는 것들을 영원으로 담고자 애썼습니다. 부디 이 애씀이 누군가에게 소소한 위로와 작은 미소를 건넬 수 있기를, 그런 기적이 일어나기를 꿈꿔봅니다.

내겐 너무 서러운 달리기

학창시절 나의 소박했던 꿈 하나가 생각난다.

나는 매년 학교 체육대회가 다가오면, 훌륭한 달리기 레이스를 펼치고 결승선을 지날 때 선생님께서 내 손등에 1등부터 3등까지만 찍어주는 도장을 찍어주는 꿈을 꾸었다. 소박하지만 내게는 분명 간절했던 꿈이다. 부모님 중 어느 한 분도 달리기에 소질이 없으시기에, 유전의 힘을 거스를 줄 모르는 내겐 불가능에 가까운 꿈이었다. 그래도 Nothing is impossible이라는 말이 있지 않은가? 아쉽게도 나의 학창시절 달리기에서만큼은 없었다. 단 한 번도 손등에 도장을 찍어보지 못한 채 학창시절이 끝났으니까.

그 후로 나는 애써 달리기와의 연을 완전히 끊고 살아갔던 것 같다. 하지만 몇 년이 흐르고 군에 입대하는 바람에 다시 달리기와 강제로 연을 맺어야만 했다. 그곳에서는 매일 아침 눈을 뜨면 3km 알통 구보가 나를 기다리고 있었으니까. 악연이었다. 그 당시의 나는 비교적으로 늦은 입대를 선택한 탓에 25살이었는데, 알통 구보를 할 때마다 행정보급관님은 내 옆을 지나며 이렇게 놀리곤 했다.

"역시 늙은이라 잘 못 뛰는구만?"

안타깝게도 25살의 나는 발도 느리고 체력도 안 되는 비루한 사람이 되어 있었다.

전역한 후에도 달리기는 여전히 내 발목을 잡았다.

나는 어려서부터 축구를 좋아했지만 다른 사람들의 거친 플레이로 인해(사실 내가 약했던 탓에) 몇 차례 다친 경험이 있어서 오랜 시간 경기에 직접 뛰지는 않았다. 그러다가 20대 후반 정도가 되니 주변 사람들이 나이를 먹고는 점점 몸을 사리는 축구를 하기 시작했고, 몸 사리기를 좋아하는 나도 다시 경기에 뛸 수 있는 분위기가 되었다. 하지만 문제는 여전히 내게 있었으니 역시나 달리기, 그놈이 문제였다. 나는 너무 느렸다. 공격수를 보기에도 느리고, 미드필더를 보기에도 느리고, 수비수를 보기에도 느렸다. 몸 사리기를 좋아하는 나로서는 골키퍼도 역시나 적합하지 않았다. 내게 축구는 그저 짝사랑의 대상일 뿐이었다. 달리기 때문에.

2022년 2월의 마지막 날이 생각난다. 이런 내가 달리기를 해보겠다며 밖으로 나갔던 날이다. 평생토록 당한 설움을(사실 누구도 뭐라고 한 적은 없지만) 이제라도 극복해보리라는 비장한 마음으로 나는 나갔다.

이런 마음을 먹을 수 있었던 것은 당시 열렸던 베이징 올림픽 때문이었다. 매일같이 올림픽을 보다보니 이런 생각이 들었던 것이다. '내가 지금 시작해도 나갈 수 있는 운동 대회는 없을까?' 단순히 참가에 의의를 두더라도 무언가 도전해보고 싶어진 것이다. 생각의 끝에 떠오른 운동은 어처구니없게도 마라톤이었다. 달리기와는 연이 없던 내가 뜬금없이 마라톤을 떠올렸다니, 웃긴 일이지 않은가. 그럼에도 그날부터 당장 해보겠다며 밖으로 뛰쳐나갔던 것이다.

그렇게 며칠 동안을 무작정 나가서 뛰었다. 당시 31살이었던 나는 여전히 느렸고, 안 쉬고 한 번에 3분도 못 뛰는 비루한 몸뚱이의 소유자였지만, 일단 계속 뛰었다. 속도는 그렇다 치더라도 어떻게 내 구멍 난 체력을 메꿀 수 있을까 고민하던 나는 인터넷을 뒤적거리다가 달리기와 관련된 좋은 훈련 어플리케이션을 발견하게 되었고, '그래 이거야!'라며 그 어플리케이션을 벗삼아 제대로 된 달리기 훈련을 시작할 수 있었다.

그런데 며칠을 못 가고 또, 또, 또 문제가 찾아왔다. 내게 달리기의 다른 이름은 '문제 생성기'가 아닐까? 어려서부터 나는 무슨 운동을 하든지 초반 적응기에 너무 오버 트레이닝을 해버리는 못된 병이 있었는데, 이번에도 그 병이 도져버렸다. 하루는 달리러 나가서 혼자 얼마나 신났는지, 산책 나온 동네 강아지마냥 뛰어다녔나보다. 3분도 제대로 못 뛰던 며칠 전의 내 모습은 말끔히 잊어버리고, 숨이 넘어가기 직전까지 뛰고 또 뛰었다. '너무 신나잖아!'

그러자 내 무릎은 내 마음도 몰라주고 집을 나가버렸다. '안녕 나의 무릎아.. 아니, 나의 무릎들아..' 양쪽 무릎이 제 기능을 하지 못하고 아려오기 시작했다. 달리기 초보였던 나는 이 통증을 어떻게 해석해야 하는지 감이 오지 않았다. 이 통증은 근육이 성장하는 과정에서 오는 통증인가, 아니면 부상인가. 어떤 해석이 맞는 것인지 확인하기 위해 일단은 3일을 쉬어본 후, 아직 회복이 덜된 무릎으로 다시 달려보았다. 그렇게 나는 답을 알 수 없는 질문에 대한 답을 찾았다. 무사히 달리기를 마치고 집에 돌아오며 깨달았던 것이다. 얼른 씻고 한의원으로 직행해야 한다는 것을. 너무 아팠다. 집에서 한의원까지 그렇게 멀게 느껴질 수가 없었다.

며칠 동안 치료를 받으며 완전히 회복한 나는 모든 것은 단계가 있고, 차근차근 다져나가야 한다는 것을 배웠다. 어려서부터 운동 신경이 부족한 것 같다는 이야기를 많이 들었기에, 그 말이 듣기 싫어서 매번 초반부터 쓸데없는 오버 트레이닝을 해왔는데, 비교의식 때문에 그래왔는데 30대의 나는 이제 그럴 이유가 없다는 것을 알았다.

나는 이때부터 달리기에 대해 차근차근 공부했고, 나만의 페이스를 찾아가기 시작했다. 남들이 1km를 4분만에 달릴 때, 나는 두 배로 8분이 걸릴지라도 나를 사랑해주고 아껴줄 수 있는 마음을 가지게 되었다. 남을 이겨서 행복한 게 아니라, 나의 나 된 모습 그대로를 사랑하며 행복할 수 있는 방법을 그제야 배워가기 시작했던 것이다.

그로부터 1년 반이 넘는 시간이 흘렀다. 나는 작고 큰 마라톤 대회 여러 곳에 출전하였고, 비록 느렸지만 모두 완주해냈다. 집에는 완주 메달들이 쌓여가기 시작했다. 어려서부터 달리기라는 꿈은 소박함에도 불구하고 절대로 가까워질 수는 없는 꿈이었는데, 이제는 실현된 꿈으로 다가와 나의 품에 안겨있었다. 물론 여전히 빨라지고 싶은 마음이 조금은 남아있지만.

33살을 바라보고 있는 지금(2023년 12월 기준), 누군가가 무슨 운동을 좋아하냐고 물으면 자신 있게 달리기라고 대답하고 있다. 달리기와 관련된 서러운 기억들이 워낙 많아서 더 애착이 가는 모양이다.

그런 나는 오늘도 인터넷에 들어가 최신 런닝화를 검색해본다. 세계 최고의 마라노터 엘리우드 킵초게(Eliud Kipchoge)와 같은 런닝화를 신고 뛰면, 혹시 내가 조금은 빨라지지 않을까? 어린 시절과 달리 런닝화에 당당히 내가 번 돈을 투자할 수 있는 지금의 내가 제법 멋져 보인다.

발 편한 운동화

어린 시절 생각이 난다. 늦둥이로 태어난 나는 성장이 매우 느린 아이였다. 성장이 얼마나 느렸는지, 중학교에 입학하던 날 친구와 찍었던 사진을 보면 친구와 머리 하나 정도 차이가 난다. 그래서 당시에 나는 이대로 쭉 안 클까 봐 두려운 마음에 자주 휩싸이곤 했었다.

그때마다 엄마는 걱정하지 말라고, 조금 늦을 뿐이지 다른 친구들보다 오히려 더 클 거라며 나를 다독여주셨다. 사실 엄마의 이러한 다독임이 근거 없는 희망고문은 아니었다. 아버지의 큰 키라는 유전적 요인과 키와는 어울리지 않을 정도로 많이 자란 나의 발 크기가 분명한 근거였기 때문이다.

중학교에 입학하던 시절 나의 키는 150cm 근처밖에 되지 않았지만, 발은 키에 대해서는 걱정도 하지 말라는 듯 무럭무럭 자라고 있었고, 성장을 멈출 줄 몰랐다. 중학교 입학 당시 260mm 정도 되던 나의 발은, 중학교 생활을 하며 키가 조금 자라 160cm 정도가 되었을 때 270mm가 되어 있었다. 키가 170cm가 넘었을 때는 280mm가 되어 있었다. 중학교에 졸업할 때는 키가 176cm 정도 되었고, 발 사이즈는 285mm가 되어 있었다. 엄청난 성장 속도였다.

그만큼 나의 발은 신발이 닳아서 떨어질 시간 따위를 주지 않았다. 그래서 그 시절 엄마의 손을 잡고 새 운동화를 사러 가게에 가는 일은 연례행사가 아닌 계절마다 찾아오는 행사가 되어 있었다.

엄마는 나와 운동화 매장 들어설 때마다 늘 한 가지 기준만을 제시하셨는데, 그건 매우 간결한 기준이었다.

"아들, 발 편한 운동화로 골라야 돼. 사람은 언제나 발이 편해야 해."

나는 운동화 매장에 갈 때마다 매번 예쁜 운동화를 찾아 여행을 떠났고, 마음에 드는 운동화가 눈에 들어와 그것을 신어볼 때면 엄마는 발이 편한지만 물어보셨다. 그런 우리 엄마에게 운동화의 가격 따위는 중요하지 않았다. 당시 형편이 그리 좋지 못했는데도 불구하고 엄마의 관심사는 그저 아들의 발이 편한지 불편한지의 여부뿐. 엄마의 사랑이었다. 그래서 당시 우리 집 신발장에 있는 나의 운동화들은 대체로 에어쿠션이 두툼하게 달려있었다. 발이 편한 운동화, 엄마의 기준에 충족되는 운동화들은 사실상 에어쿠션과 떼려야 뗄 수 없는 사이였기 때문이다.

중학교를 졸업한 이후로는 나의 발이 더 이상 자라지 않았고, 발 사이즈에 맞춰 키만 더 자랐다. 엄마의 손을 잡고 새 운동화를 사러 가는 일은 자연스럽게 줄어들기 시작했고, 그 이후로는 대부분의 운동화를 온라인으로 사이즈만 보고 구입하게 되어 정말 그런 일이 없어져버렸다.

이 기억으로부터 시간이 참 많이도 흘렀다. 2023년 12월을 기준으로 나는 지금 어느덧 33살을 바라보는 시점을 맞이했고, 결혼도 앞두고 있다. 그리고 늦둥이 아들을 둔 우리 엄마는 어느덧 70대 중반을 바라보게 되셨다. 세월이 이렇게 많이 흘렀는데도, 우리 엄마는 여전히 내가 새로운 운동화를 구입할 때면 이렇게 물어

보신다.

"아들, 그 운동화는 발이 편하니? 사람은 언제나 발이 편해야 해."

당신의 발보다 아들의 발을 더 걱정하는 엄마의 사랑에는 변함이 없다. 세월에 따라 모든 것은 변한다고 하는데, 엄마의 사랑만큼은 변화를 비껴간 모양이다.

얼마 전이었다. 잘 안 신는 신발들을 정리하기 위해 신발장을 열었다가 문득 엄마에게 죄송한 마음이 들었다. 벌써 사회생활도 오래한 다 큰 아들놈이 지금까지 엄마에게 제대로 된 운동화 한 켤레를 사드린 적이 없다는 사실을 깨달아버린 것이다. 어린 시절 성장만 느렸던 게 아니었는지, 참 빨리도 깨달은 것 같다. 어쩜 이렇게 철도 느리게 드는 것인지.

사실 나는 2022년 초부터 마라톤이라는 취미생활을 시작했다. 참 멋진 취미생활을 하고 있다고 스스로 생각해오고 있었다. 그런데 이날만큼은 마라톤이 내 자신을 참 부끄럽게 만드는 것이 되어 다가왔다. 마라톤을 즐기다보니 자연스레 나는 발 편한 운동화에 대한 정보들을 아주 많이 알게 되었다. 그런데 그런 아들놈이, 정작 엄마를 위해서는 제대로 된 운동화 한 켤레, 발 편한 운동화 한 켤레를 사드린 적이 없다니. 갑자기 얼굴이 화끈거렸다. 이런 못난 놈을 봤나.

중학교 이후로 정말 오랜만에 엄마의 손을 잡고 운동화 매장에 갈 때가 된 것 같다. 못난 아들놈을 향한 엄마의 사랑을 감히 흉내조차 낼 수 없겠지만, 그때 그 시절처럼, 이번에는 엄마를 향한 나의 사랑을 발 편한 운동화에 담아볼 때가 된 것 같다. 이번에는 사랑하는 엄마를 위해 내가 꼭 이렇게 여쭈어보아야지.

"엄마, 발 편한 운동화로 고르셔야 돼요. 사람은 언제나 발이 편해야 해요."

두 번째 작가, 장현화

Instagram: @tak_house

하고 싶은 건 하고 사는 여자. 어쩌다 살게 된 이탈리아에서 9년 째 고군분투 중입니다. 작은 게스트하우스를 운영하면서 많은 사람들을 만나고 그런 좋은 사람들과의 만남을 기억하고 싶어 글을 쓰기 시작했습니다. 요즘은 사랑 이야기를 씁니다. 사랑이 하고 싶어서요.

39살 1월, 처음 담배를 입에 물다.

39살(만 37살)의 겨울 공기가 유독 차갑게 느껴진다. 심지어 한국보다 훨씬 따듯하고 겨울 내내 영상의 기온을 가지고 있는 나라에 살면서도 말이다. 그 공기가 너무 맑고 너무 차가워서 조금 뜨겁게 그리고 뿌옇게 더럽히고 싶었던 걸까.

39살 1월, 나는 정말 아무런 계기도 없이 처음 담배를 입에 물었다.

지금껏 살면서 남들이 하지 말라는 거 대부분 다 해

보고 살았지만 딱 하나 내가 시작하지 않아서 다행이라고 생각하고 자부심을 가진 것이 있다면 그것은 바로 흡연이다. 술을 이만치 많이 마시는 삶이니 담배까지 피우면 난 아마 죽어도 벌써 죽었을 거라고. 음주와 흡연 중에 무엇을 하나 선택하여 깊이 있게 심취하기 위해서 과감히 담배를 포기했노라고 자랑스레 떠벌리던 내가 어떤 유혹에도 흔들리지 않는다는 불혹에 가까운 나이에 담배를 입에 물었다. 그것도 방금 오늘.. 심지어 친구들한테 질색하며 난리 치던 방 창문 앞에서.

인생은 예측불가능이라 참 재미있다.

오늘 손님들에게 제공한 석식 메뉴가 삼겹살이라 온 집안에 고기 굽는 냄새가 진동을 했다. 나는 그저 향초를 찾아서 피우고 싶었을 뿐인데 그 향초를 찾는 과정에서 집주인이 서랍장 구석에 놓고 잊은 듯한 말보로 담배 한 갑이 나왔다. 그전에 수 천 번 담배를 보고서도 그리고 흡연의 현장에 함께 했어도 한 번도 피워봐야지 라는 생각이 들지 않았는데 어이없게도 너무 자연스럽게 담배 한 개비를 꺼내 들었다. 그리고 또 너무 자연스럽게 입에 물고서는 향초를 피우려고 손에 들고 있던 라이터로 불을 붙였다. 간접체험을 너무 많이 해서였던 걸까. 모든 동작이 물 흐르듯 자연스러웠다. 그러나 연기를 머금고 숨을 들이켜는 순간 미친 듯이 기침이 나왔다. 아니 이거 꽤나 중딩스럽고 신선하잖아...?

이왕 시작한 거 제대로 피워보고 싶어 급히 초록창에 '담배 피우는 법'을 검색했다. 어릴 때 담배를 처음 접하던 친구들 사이에서 혼자 멀뚱히 서 있을 때 '겉담배'를 피운다며 놀림받던 몇몇 친구들의 모습이 어렴풋이 떠올랐다.

거 참.. 입에 잠시 머금고 있다가 천천히 연기를 들이켜라는 데..... 독한 연기를 입에 머금을 새도 없이 기침이 터져 나왔다. 은근히 도전의식이 피어오르기 시작했다.

잘 참고 연기를 제대로 들이키면 시원한 느낌도 난다는데 난 도무지 이 연기가 적응이 되지 않았다. 한 입 머금고 콜록콜록, 머금을 새도 없이 다시 콜록콜록. 원래 같으면 이 시점에서 멈추어야 하는데 다시 초록창을 찾았다. '담배 빨리 배우는 법'... 아니 나 지금 뭐 하는 거지...라는 현타 반, 이왕 시작한 거 담배의 맛을 기필코 알아내야겠다는 이상한 오기 반.

그 와중에 또 머리와 옷에 베어나는 담배향기가 너무 싫어서 상의를 다 탈의할까 라는 말도 안 되는 고민을 하기 시작했다. 아니.. 그만 피우면 되잖아... 왜 이러는 거냐 나 자신.

담뱃재는 어떻게 터는 건지 몰라서 창틀에 대고 그저 뭉개다가 담뱃불을 꺼뜨렸다. 아직 절반이나 남은 담배를 보며 한 3초 정도 고민에 빠졌다. 이쯤 해봤으면 충분한 거 아니야? 그러다가 또다시 담배에 불을 붙였다.

오늘은 참 나답지 않은 날이군.

백해무익이라는 담배에서 하나 재밌는 지점을 찾았다. 담뱃불을 붙이려고 담배를 쭉 빨아들이는 그 순간 끝에 빨갛게 불이 붙는 모습이 꽤나 귀엽다. 거칠게 타오르는 불꽃이 아닌 점점이 빨갛게 점화되는 모습과 매캐하게 피어오르는 첫 연기가 매력적으로 느껴졌다.

결국 담배의 맛을 채 알기도 전에 한 개비의 담배가 끝났다. 이젠 멈추자. 다행인 것은 한 대 더 피워볼 생각은 안 든다는 점.

첫 담배를 태운 소감은 콜록콜록콜록코올록.

담배 끝에 맺힌 불이 예뻤고 그걸 다 태우느라 창가

에 몸을 반쯤 내민 채 감상하게 되는 바깥 풍경도 아름다웠다. 담배연기를 내뱉느라 길게 날숨을 쉬는 것이 긴 한숨 쉬는 것을 정당화해 주는 것 같아 조금 위안이 되었다. 그리고 무엇보다 30대 중반이 넘고 나서는 좀처럼 해보기 힘든 첫 경험, 익숙지 않은 행동을 하는 느낌이 주는 짜릿함이랄까. 이제는 어디를 가도 무엇을 해도 나 이거 예전에 해봤어 혹은 과거의 비슷한 경험과 비교하게 되는 게 대부분이었는데 담배만큼은 남겨두길 잘한 것 같다. 이건 이전에 해본 그 어떤 것과도 또 다른 경험이었으니까.

그래서 내가 앞으로도 담배를 태우느냐... 그건 아마 아닐 것 같다. 부모님이 물려준 이 몸이 소화기관과 간은 튼튼하게 타고난 반면 유독 호흡기는 약해서 잠시의 흥미로 담배를 피우다가는 곧 골로 갈 것 같기 때문이다. 그냥 맑은 공기만 가지고도 제대로 숨도 못 쉬는 놈이 무슨 담배인가 싶은 것이다.

아무 이유도 없이 시작되었던 내 작은 일탈은 이렇게 끝이 났다. 이 일탈이 참으로 소소하고 귀엽고 그러나 짜릿했어서 글을 남긴다.

피렌체는 공기가 맑아서 담배가 더 맛있다던 나의 애

연가 친구들아! 그 맛있는 담배는 너네나 실컷 태워라!
(사실 좀 줄일 수 있음 줄여라).

나는 맛있는 와인을 한 병 더 마시련다!

39살 12월, 금주를 결심하다.

술, 내 인생의 절반을 함께 해온 내 단짝 친구.

누구보다 사랑했고 날 많이 아프게 했고 그럼에도 놓지 못했고 늘 생각나는 내 친구. 한때는 이 친구 때문에 사랑하는 사람과 이별도 해야 했고 부모자식 간의 연을 끊을 뻔도 했으며 잘 쌓아가던 커리어나 결심도 한순간에 무너지게 한 적도 있지만 그래도 괜찮았다. 어차피 또 이 녀석이 위로해 줬으니까. 그렇게나 소중하고 어떤 역경에도 포기하지 않던 그 존재를 이제 잠시 떠나보내려 한다. 숙취에 시달리며 몇 번인지 세지도 못할 만큼 토하다가 지쳐 '아, 내가 다시 술 마시면 개다.'라고 내뱉는 그런 결심이 아니라 진짜 진지하게 술 좀 끊어보려고 한다. 이유는 단순하다.

이제는 술이 맛이 없다.

나는 누구보다 '알코올예찬론자'이자 '애주가'였다. 신기하게도 처음 마셔본 소주는 처음부터 내 혀에 달았다. 다른 친구들은 이게 쓰다는데 왜 나는 이게 달지 싶었는데 게다가 아무리 마셔도 잘 취하지 않았다. 맥주는 또 어떤가. 500리터 맥주가 한 번의 쉼도 없이 꿀떡꿀떡 잘만 넘어갔다. 목이 따갑다느니 트림이 난다느니 그런 건 내 식도에는 해당되지 않는 이야기였다. 목구멍 가득 넘어가는 탄산과 알코올의 시원함이 목을 지나 가슴까지 뻥 뚫어주는 것 같았고 마시고 나면 혀에 남는 구수한 향과 맛까지 다른 어떤 음료와도 비교할 수 없는 행복이었다. 둘이 섞으면... 게임 끝이다. 배도 안 부르고 아주 끝도 없이 들어간다. 술이 들어간다 쭉쭉쭉쭉!!

대학교에 들어가니 전공선택 수업 중에 '주류학'과 '와인학개론'이 있었다. 수능 성적에 맞추어 선택했던

학교와 전공이었는데 이건 운명인가 싶었다. 술에 대해 배우고 나니 술의 세계는 한층 더 넓어졌다. 소주와 맥주만으로도 충분히 극락이었는데 그런 내 세계에 데낄라, 위스키, 와인, 고량주 등이 침투했다. 교수님들도 잘 배우고 잘 마시는 내가 예뻤던 지 수업 끝나고 몇몇 동기들과 함께 그 나이에 맛볼 수 없는 진기한 술들을 사주시고는 했다. 술을 마시고 있는데 공부를 하는 거라니 아무래도 내 인생의 황금기는 그때였던 걸까.

20대에는 술 먹고 실수도 많이 하고 정신을 못 차릴 정도로 과음을 하기도 했다. 30대에도 물론 그런 적이 더러 있었지만 이탈리아에 오고나서부터 그런 술버릇이 차츰 사라지기 시작했다. 가장 큰 이유는 게스트하우스를 운영하면서부터 거의 대부분의 술자리는 손님들과 함께하게 되었는데 그런 자리에서 내가 취해서는 안 됐기 때문이다. 분위기는 좋게 하되 취하지는 않아야 했고 또 술자리가 끝나면 다 정리하고 다음날 아침 7시에 일어나 아침밥을 해야 하는 생활을 하다 보니 자연스레 과음하는 습관이 고쳐지게 된 것이다.

그리고 주로 마시는 주종이 와인으로 바뀐 것도 큰

이유 중 하나였다. 와인은 벌컥벌컥 들이켜는 술이 아닌 데다가 이탈리아 사람들과 어울려 술자리를 하다 보니 이들의 목적은 음주라기보다는 말을 하는 것이었다. 와인이나 맥주 한 잔을 손에 들고 3시간은 기본으로 떠들 수 있는 자들이 이탈리아인이다. 그런 문화 속에 살아가다 보니 술도 천천히 마시게 되었다. 아직도 어릴 적 친구들과 편한 자리에서 마시거나 하면 과음을 하기도 하지만 취할 때까지 마시는 빈도수나 술을 마시는 횟수 자체가 현저하게 줄어드는 것이 느껴졌다.

혼술도 하지 않게 되었다. 직장생활을 할 때는 약속이 없더라도 집에 와서 혼자 맥주 몇 캔 마시거나 와인 한 병 마시는 게 그렇게 행복이었는데 이탈리아에 살면서부터 거의 집에서 벗어나지 못하고 일하는 곳도 집, 노는 곳도 집이다 보니 집에서 마시는 술이 맛이 없다. 나가서도 술집이나 레스토랑보다는 야외에서 마실 기회가 있어야만 신이 났다. 그나마 여러 명이 마시면 집에서도 마시지만 혼자 마시는 술은 영 맛도 재미도 없다.

문득 친구 중 아무개가 했던 말이 생각이 났다.

"인생에서 마실 수 있는 알코올의 총량이 정해져 있대."

그 말을 들을 당시에는 무슨 헛소리냐고 코웃음 치면서 나는 관짝에도 술병 들고 들어갈 거라고 큰소리쳤는데 차츰 그 말이 내 가슴속 깊이 새겨지듯 들어왔다. 그간 웬만한 술자리에서 남들의 두 배 이상 마셔대더니 벌써 그 총량이 다해가나 보다 싶었다.

술을 마셔도 별로 흥이 나지도 않고 배만 부르고 다음날 체력만 축 나는 것이 영 술맛이 안 난다. 이건 뭐랄까. 나에게 사형선고나 다름없었다. 내 인맥의 절반은 술 마시고 신나서 노는 나를 좋아한다. 나도 그런 나를 좋아했다. 그런데 알코올 없는 나라니. 매력이 훅 떨어지는 기분이다.

그럼에도 곧 마흔이 되는 나는 금주를 결심했다. (비록 만 나이는 38세지만 거의 평생 내년이 마흔이 되는지 알고 살았던 자로서 2024년에 장렬히 마흔을 맞이하기로 했다.) 하고 싶은 일 다 해보고 살려고 노력한다는 게 이 나이 먹도록 유일하게 내세울 만한 자랑거리인 나이다. 그 말을 반대로 하면 하기 싫은 건 안 한다는 소리다. 금주 결심 역시 그런 맥락이다. 이제 술을 마시는 게 별로 재미가 없으니 당분간 안 해보겠다는 거다. 금방 후회하고 미친 듯 그리워하게 될 수도 있다. 그래도 그냥 관성으로 마시던 거니 계속 마시자 하던 알코올습관을 조금 신경 써서 별로 안 당기니 마시지 말아 보자!로 시도는 해보고 싶다.

지금 귀에 들리고 있다. 너희들의 비웃음 소리가...

"개가 똥을 끊지."

그렇지만 기대되지 않는가. 알코올 없는 나의 인생 네 번째 라운드는 어떤 모습일지.

비하인드.
사실 12월에 연말분위기 타면서 미친 듯이 마시고 먹고 놀아제낄려고 했는데 나가자마자 술 먹고 핸드폰 털려서 현타 온 자의 길고 긴 넋두리를 보고 계십니다. 그래도 금주는 해볼게요!

세 번째 작가, 이영진

Instagram: @lyzmagic.academy

누구보다 에너지 넘치는, 또한 그 에너지가 가장 큰 장점이라고 생각하는 사람입니다. 23년간 수많은 무대에 올라 사람들 앞에서 즐거움과 행복을 선사하는 클래식 마술을 사랑하는 마술 공연자입니다.

성공과 과정.

지난 2023년을 맞이할 때 독자분들도 그러했겠지만 나 또한 여러 가지의 다짐 들을 하곤 했다. 누구나 하는 다이어트, 금연, 저축, 건강 등등 많은 계획들을 세웠을 것이다. 그러곤 한해의 중반 즈음엔 그 다짐들에 대한 기억이 사라지고 마지막 즈음엔 포기와 함께, 언제 그랬냐는 듯, 똑같은 계획을 다시 다짐하곤 한다.

나 또한 잊지 못할 실수와 실패들도 많았다. 꼭 그런 생각들은 시간이 지난 후 자기 전 이불 속에서 떠 오르기 마련이다. 내가 그때 그렇게 행동하지 말았어야 했는데, 기억을 곱씹으며 애먼 이불만 차고 있다.

혼자 가만히 1년을 뒤돌아보며 너무나 빠른 세월을 지고 살았을 나를 돌이켜 보며 쓴웃음, 헛웃음만 나올 뿐이다.

하지만 자책하지 말자. 실패는 성공의 어머니라고 하더라.

혹자는 이런 이야기를 했다. 인생에 있어 성공과 실패가 있는 것이 아니다. 성공과 과정만 있을 뿐이지.

실패를 과정으로 생각하는 담대함, 이 마음이 가장 중요하다.

그렇다. 세상엔 실패로 인한 마지막은 없다. 실패 이후 마지막이란 생각은 하지 말자. 그러기엔 우리들의 미래가 더욱 밝다.

새로움, 이 짜릿한 세 글자.

새로움, 바로 이 세 글자 만큼 행복한 상상은 없다. 기다렸던 영화가 개봉하고, 기대하던 한정판 컬렉션이 출시가 되고, 좋아하는 사람과의 새로운 경험에 대한 설렘, 등등이 있다. 무엇보다 퇴근길에 집 현관 앞에 놓여있는 택배 박스를 보면 그렇게 설렐수가 없다. 그렇다. 내가 좋아하는 모든 것들은 항상 새로워야 이뻐 보이더라.

하지만 누구라도 항상 좋아하는 일들만 새로이 일어나지 않는다. 오히려 생각하기도 싫은 일들은 항상 나의 주위를 맴돈다. 내가 좋아하는 가족, 직장동료, 학우들과의 이별,

또한 정들었던 집, 동네, 학교, 등등 이 들을 뒤로 하고 원치않던 새로운 사람과의 만남은 나를 더욱 부담스럽게 만든다.

오늘도 나는 나의 마술학원 제자들에게 잔소리처럼 이런 이야기를 해주었다.

행복해야 웃는게 아니라, 웃어야 행복해 지는 거란다. 이 말이 이해가 되지 않을땐, 꼭 미친척 한번 웃어보아라. 그러다 보면 같은 상황 속이라 할지라도 곁엔 행복만이 남는단다.

이럴 때 우리네 마음가짐은 부담갖지 않고 담대하게 걱정보다는 새로움이 주는 설렘으로 상황을 맞이해야 한다.

사람은 생각하기 나름이다. 2023년을 보내며 앞으로 있을 2024년에는 새로운 모든 상황에 긍정적인 생각을 가지고 살다보면 어제보다 나은, 전보다 좋은 우리네 삶이 되지 않을까 생각해 본다.

네 번째 작가, 민은숙

Instagram: @writer_esmin

우주의 씨앗 하나란 존재가
지구별과 함께하며 시를 씁니다.
작고 소소한 활자의 힘이나마
누군가에게 공명이 전달된다면
참 좋겠습니다.

그 계절의 리즈

나의 시선까지 내려왔던 그 많던 매미가 시나브로 사라졌다. 그들이 가고 비가 왔다. 가을비 한 번에 옷 한 겹이라고 했다. 자연을 오래 읽은 어른의 말은 절묘하게 기후를 맞춘다. 허투루 들으면 손해 보는 연륜의 힘, 삶의 이정표를 제시하는 웃어른이 있다는 것은 축복이다.

교과서 같이 마름질 잘된 말을 하고 싶지도 듣고 싶지도 않던 질풍노도의 시기가 있었다. 세상이 굴절되어 보이는 그 시선에 날 위한 염려와 조언이 잔소리로 전

락했던 그때 노래와 영화가 없었다면 어땠을까 불쑥 가정이 끼어든다.

시절의 가을, 시린 감성에 뻥 뚫린 마음을 예술세계로 한눈판 나는 영화에 쉽게 빠져버렸다. 최초의 영화가 학교 벽면에 쏘아 올린 빔이었다는 걸 한참 후에야 알았다. 도시로 이사 나온 뒤 영화는 나와의 간격을 시나브로 좁히고 있었다. 어느 날 '바람과 함께 사라지다' 영화를 감상하게 되었다. 그 영화가 극장에서 본 최초의 영화로 기억한다. 아카데미상은 물론 지금까지도 인구에 회자되는 스칼렛 오하라의 명대사를 기억한다. Tomorrow is another day. 내 좌우명이 잉태된 순간이었다.

스토리 흐름에 있어서는 고구마였지만 압도적 미모와 연기 그리고 까칠하지만 당당한 여인 스칼렛과 여유만만한 신사 레트를 잊을 수가 없다. 신사적인 외모와 연기에도 불구하고 클라크 게이블의 입 냄새로 키스 신이 괴로웠다는 비비안의 후문은 있었지만, 스크린을 뚫고 나온 눈빛은 마거릿 미첼의 소설을 압도했다. 세기의 미녀라는 호칭을 인정할 수밖에 없는 빼어난 미소와 연기로 오스카상을 거머쥔 비비언 리는 천상

배우였다. 넉넉한 풍채의 유모는 귀엽고 독특한 특유의 표정이 압권이었다. 얼마나 영화가 좋았던지 엔딩 크레디트가 다 올라갔지만 일어설 수가 없었다. 그러다 다음 상영이 시작되었다. 상영시간이 꽤 긴 영화를 내리 두 번이나 보았다.

관절염 환자를 도발하는 꾸물꾸물한 가을 주말이 왔다. 친구와 '내일을 향해 쏴라' 영화를 관람했다. C 대학 근처에 있는 C 극장이다. 그 유명한 오리지널 사운드 트랙이 울려 퍼지고 있다. 비를 맞으면서 즐겁게 자전거를 타는 장면이다. B. J. Thomas의 주제가 Rain drops are falling on my head가 흘러나오고 있다. 배우들과 함께 우리도 비를 맞고 있다. 몰입을 과장했다고 생각하는가. 이건 착각도 전이도 아니다. 극장 천장에 문제가 생겼는지 몰라도 그 노래가 나오는 장면에 딱 맞춰 물방울이 떨어진 것이다. 지금도 그 영화를 생각하면 폴 뉴먼과 로버트 레드포드보다 비를 맞는 그 장면이 떠오른다. 마치 파블로프의 개처럼 자동 반사작용 같다. 영화가 끝나고 난 뒤 밝은 세상으로 나왔다. 추적추적 가을비가 내리고 있었다. 아마데우스 영화에서 보던 모차르트의 장례식날처럼.

다릴 한나와 톰 행크스의 '스플래쉬'가 보고 싶었다. 미성년자인 내게 문제가 생겼다. 다들 보았거나 시간을 맞출 수가 없다. 보고는 싶은데 동행이 없다. 목마른 자가 우물을 찾는 거다. 나 혼자라도 가자. 극장엔 사람이 미어터진다. 좁은 골목까지 줄을 섰다. 이 동네의 젊은이는 죄다 이리로 온 듯하다. 당시 J 극장은 젊은이의 성지 한가운데 위치했으니 어쩌면 당연한 현상이리라. 게다가 토요일 오후는 젊음의 분수가 터지는 적기가 아니던가. 길 위에서 젊음이 마구 밟힌다.

한나와 톰이 만나는 장면이었을 게다. 좀 전부터 집적거리는 옆 좌석의 남자에게 죽방을 날리고 싶다. 자꾸 혼자 왔느냐고 떠본다.

'혼자 왔으면 뭐? 너 보러 왔겠니. 영화 보러 왔지! 제발 꺼져 줄래?'

나비처럼 날아서 벌처럼 쏴주고 싶었으나 그냥 귀를 닫기로 했다. 무시로 무관심을 표명하면 제풀에 지쳐 나가떨어지리라. 예상이 비껴간다. 나는 곧 한나를 아쉬움으로 보내줄 수밖에 없었다. 어찌나 진드기처럼 귓바퀴로 달라붙는지 영화를 보는 건지 귀를 쑤시러 온 피어싱인지 알 수가 없다. 귓속에서 곰팡이꽃이 튀어나올 것만 같다.

이런, 버스 정류장까지 따라온다. 찰거머리가 따로 없다. 커피를 마시잔다.

'나 카페인 면역이 없거든. 좀 떨어져라. 난 생판 모르는 남자랑 겸상 안 하거든.'

내 영화를 방해하는 자랑 함께 할 마음 개미 눈곱만치도 없단다. 버스는 왜 이리 안 오는 거야. 벗어나고 싶다. 숨이 막힐 것 같다. 에라 모르겠다. 택시를 타자.

완연한 가을이다. 모름지기 가을은 분위기 갑인 트렌치코트가 생각나는 때이다. 잔잔한 영화가 잘 어울리는 계절이다. 이를테면 '조 블랙의 사랑'이 그렇다. 빵 아저씨의 미모가 '로미오와 줄리엣'의 레오와 견주어도 꿀리지 않을 전성기를 볼 수 있다. 스크린에서 여배우와 함께 연기와 미모로 관객의 숨소리를 앗아가는 마약 같은 영화이다. 따뜻한 모카커피와 추락하는 가을 단풍, 영원하지 않은 젊음이기에 더 빛나는 황혼.

깊은 가을에 잘 어우러진다.

서정주 시인의 시구가 떠오르는 가을이다.

'눈이 부시게 푸르른 날은 그리운 사람을 그리워하자.'

가을바람이 분다. 나는 추녀이다. 봄처녀가 아니다.

봄은 타지 않고 가을바람의 등을 타는 가을 여자이다. 이 바람은 면역이 없다. 가슴에 물수제비를 뜨는 조약돌이 돋아난다. 떨어지는 빗방울, 굴러가는 자전거 바퀴, 타이어 비명에 몸을 굴리는 낙엽이 마음을 쥐고 흔든다. 햇살은 눈이 부시다. 그러나 윙크하지 않아도 눈맞춤 할 수 있다.

너무 아깝다. 이 계절이 줄어들고 있다. 올해는 더 짧을 것으로 예상된다. 책 앞에서 눈이 북끄럽지 않게 보내고 싶다. 보이는 자연의 조각들이 자꾸 부끄럽게 만들고 있다.

원대리가 깨운 갈색 머리 앤

그때는 미처 몰랐다. 이제는 맞장구칠 수 있다.

"재미있는 일이나 즐거운 일, 행복한 일은 언제나 마음속에 있어."

소중한 문장을 속삭여준 긍정 소녀가 있다. 곱게 딴 양 갈래머리 앤과 다이애나는 빽빽한 자작나무 숲에서 소중한 우정을 다지곤 했다.

고독을 벗 삼아 방콕을 좋아하는 나를 세상 밖으로 끌어낸 이가 있다. 평생 친구인 영이 이끈 곳은 화담숲이다. 경기도 광주로 설렘을 달고 갔다. 수국 축제가 한창인 시즌에 맞춰 꽃을 실컷 볼 수 있었다. 수국보다 더 가슴을 뛰게 한 복병이 나타났다. 귀족 같은 이름이라고 착각했던 자작나무다. 날 데려다준 영이 천사 같았다.

대화가 흥미로 무르익으면 어떤 단어가 튀어나온다. 안에서 잠자던 아수라 백작이 모습을 드러낸다. 빨강 머리 앤 인 듯, 감수성이 풍부한 내면이 마그마처럼 끓어오른다. 한참 노자를 공부할 때이다. 21세기에 맞는 사상이라고 열정적인 말들이 날아다닌다.

별안간 자작나무 이야기가 흘러나온다. 껍질에 기름기가 있어 불에 타면 자작자작 소리가 난다고 하여 붙여진 이름이란다. 무지한 나는 후작, 공작할 때 그 자작이라고 나를 세뇌했었다.

나도 모르게 앞질렀다. 화담숲에서 본 자작나무가 튀어나왔다. 소설 속에서 빨간 머리 앤이 알려준 자작나무숲에 환상과 상상의 나래를 폈다. 왠지 스산한 바람이 아닌 청정과 온정을 줄 것만 같은 그 나무가 내 몸 한 칸에서 명화로 자리 잡았다. 상상했던 그대로 내 오감을 만족시킨 화담숲을 꺼내 놓았다.

초롱초롱한 내 눈빛이 앤 셜리만 같았을까. 선생님은 자작나무 하면 원대리 자작나무 숲에 가 봐야 한다고 말씀하신다. 화담숲도 근사했는데, 더 멋진 곳이 있다니 왠지 가슴이 벌렁거린다. 언젠가 꼭 가 볼 버킷 리스트로 혼자 저장해 놓았다. 이런 주변머리 없는 날 꿰뚫어 본 걸까. 아니면 내 눈에 열망의 불꽃이 강렬했던 것일까.

무려 편도만 세 시간여를 달렸다. 하늘이 내린 인제란 표지판을 보면서 백화라고 하는 고고한 자태를 볼 두근거림이 함께 달린다. 따뜻한 감성을 가진 사람들로 가득한 차 안은 정담과 덕담이 탁구를 친다. 어젯밤 기다림에 약간의 검색으로 나온 정보를 되새김해 본다.

지나가는 말인 줄만 알았다 20일 토요일을 비우라는 말을. 막내인 나는 변변찮은 중고차와 밤눈이 어두운 약점이 있다. 차마 선배님과 선생님께 운전하겠다는 말을 아낄 수밖에. 자신도 없고, 공연히 나서서 헤맨다면 얼마나 낯이 뜨거워질까. 앞장서서 운전하시겠다는 K 선배님은 장염을 앓은 지 얼마 되지 않는다. 아뿔싸! 선생님이 나섰다. 가장 연장자이고 우리들의 멘토다. 이렇게 송구할 수가 없다.

가족이 있는 나는 가족이 없는 빨강 머리 앤보다 밝지 않은 삶을 살았다. 반쯤 남은 물 잔을 보며 앤은 긍정을 흩뿌릴 때 나는 부정을 나에게 뿌렸다. 어쩌면 니체의 위버멘시처럼 강한 자기 긍정의 힘을 가진 앤이 이상해 보였는지도 모르겠다. 긍정은 긍정을 낳고 부정은 부정을 낳는다는 말을 최근에 체감하고 있다.

부메랑은 날 아프게 했다. 부정의 방에서 자물쇠를 걸고서 갇혀 있을 때, 책임감이 강한 나는 일도 가정도 최선을 다하고자 몸을 함부로 썼다. 아마도 그것은 부정의 힘을 쓴 두레박으로 길어 올린 물이었기 때문이 아닐까. 이제야 자문해 본다.

기침을 속눈썹처럼 달고 살았다. 맘대로 되지 않는 삶에 지쳐 나가떨어지고 나서야 비우기 시작했다. 비우고 또 덜어내고 내려놓는 과정에서 참 속상하고 서글펐다. 유추해 본다. 한약과 양약으로도 치유가 되지 않던 기침이 마스크로 잠이든 이유를. 오랫동안 방치했던 본성을 억압했다. 폐부 깊숙한 곳에서 기침의 씨앗이 움트고 있었을까. 싹은 부정을 먹고 점점 자라 기침으로 발산했던 것이 아니었을까. 오감이 날 살리고자 기침으로 발현한 것일 게다.

이젠 긍정이 조금씩 자리 잡고 싶어 한다. 갈비뼈가 흔들리고 복근이 생기고 나서 부정이 꼬리를 감추었다. 덜어낼 만큼 덜어냈다고, 그만 비워도 된다고 말해주는 것 같았다. 부정의 그늘 안쪽에 구겨져 있던 오래된 꿈이 고개를 빼꼼히 내다본다. 예전 같으면 엄두도 내지 못할 도전장을 내민다. 그 뿌리는 자아존중감을 타고 긍정을 깨워 기특하다는 메아리를 선물로 받았다.

이제 난 앤 셜리가 부럽지 않다. 다이애나와 같은 지기도 있고 마릴라 같은 날 응원하는 선배님들도 계시다. 더 기쁜 것은 내가 제대로 가고 있는지, 잘못 가는지 지켜보고, 톡톡 쳐서 본 궤도에 올려주는 매튜 아저씨가 내게도 생겼다. 바로 선생님이시다. 열망의 눈빛만 보고 기꺼이 희생을 자처하는 꼰대 아닌 진정한 어른인 매튜 커스버트이다.

입이 쩍 벌어진다. 원대리 자작나무 숲은 그야말로 하얀 숲이다. 화담숲의 자작나무가 정원이라면 이곳은 숲이다. 유화로 그린 듯한 품위가 느껴지는 자작나무는 껍질이 얇게 벗겨진다. 벗겨지면 속살은 반들반들 백반을 바른 듯한 하얀 몸을 드러낸다. 학처럼 고고한 자태는 키가 늘씬하다. 제임스 카메론 감독의 아바타의 나비족과 같이 군더더기 없이 쪽 빠진 몸은 그야말로 천상계다.

자작나무는 수령이 육십 년밖에 되질 않는다. 척박한 땅에서 자라다 비옥해지면 스스로 생을 내려놓는다. 배부른 돼지는 되지 않겠다는 강한 신념을 가지고 있다. 배부른 문인이 되지 말라는 의미일까. 이곳에 나를 부른 자작나무의 깊은 뜻이 아니었을까. 청량한 바람을 부쳐주는 백화를 본다. 앉아서 글 쓰는 지방을 축적하지 말라는 바람을 읽어본다.

원대리에서 사랑받고 있음을 온몸으로 느낀 나는 빨간 머리 앤이 아닌 갈색 머리 앤 커스버트로 거듭난다.

다섯 번째 작가, 김정화(김부엉)

Instagram: @jjeongggg15 / @picturejjeong

모든 이가 행복을 누릴 수 있는 삶을 꿈꿉니다.
제가 느낀 삶의 희망과 절망을 씁니다.
올 한 해 저를 성장시킨 나의 환경이 되어준
다정하고 무해한 사람들의 이야기를 통해,
그 이로움에 대해서 이야기하고 싶었습니다.

삭막한 세상에서 다정함을 선택한 사람들

작년 이맘때 즈음 개봉한 유명 홍콩배우 양자경 주연 영화 'Everything Everywhere All At Once' (에브리씽 에브리웨어 올 앳 원스, 통칭 : 에에올)에는 세상을 살아가는 방식이 달라 부딪히는 한 가족이 나온다.

그 중 주인공의 남편 웨이먼드는 늘 세상을 밝게 보는 낙관주의자며 자기 것은 하나도 챙길 줄 모르고 온통 다정함으로 '무장'한 사람이다. 많은 이들은 그가 바보 같다고 생각했다. 그러나 그가 다정한 것은 순진해 빠져서가 아니었다. 다정함은 그가 선택한 세상과 싸우는 전략이고 세상을 살아내는 방식이다.

나도 그동안 참 다정한 사람이 되고 싶다고 생각해왔다. 누구에게는 어떤 의지 한 가닥이, 누구에게는 위로 한 스푼이, 또는 애정 한 조각을 느끼게 해줄 수 있다면 어떨까. 그것이 그들에게 있어 더 행복하고 좋은 삶을 이끌어갈 아주 작은 동력이 될 수만 있다면 더할 나위 없다고 생각했다.

늘 같은 자리에 있을 거라 생각했던 사람들이 시간이 지날수록 하나 둘 보이지 않았다. 나 또한 소속된 곳에서 멀어져있던 짧지 않은 시간이 있었다. 내가 그랬듯 그들도 주변의 누군가에게 은연중에라도 도움을 청했을지 모른다.

내가 다시 서서히 자리를 되찾으려 할 때 쯤, 나는 뜻밖의 많은 다정함을 마주했다. 혹시 그들도 나와 같이 사람과 인연, 관계에 대한 소중함을 느꼈던 것일까. 주변인의 작은 것을 캐치해 낼 수 있는 사람이 되어야겠다고 생각한 것일까.

더 이상 소중한 사람들을 잃고 싶지 않다는, 그리고 모두가 웃으며 좋은 마음으로 살아가길 바라는 그런 다정함일지도 모르겠다.

어느 날 F유형의 지인과 같이 밥을 먹었다. 내가 먹는 모습을 뿌듯하게 바라보며 내가 잘 먹는 걸 보니 좋다고 했다. 내가 어린 딸이나 손녀가 된 듯이 기분이 요상했지만 그 말이 참 따뜻하게 들렸다.

그리고 고맙다는 핑계로 자꾸 밥을 사주려고 한다. 맛있는 거 사주는 사람 = 좋은 사람 (끄덕)

그동안 내가 식사자리에서 들었던 말들은, "너는 너무 느려서 다른 사람의 시간을 뺏고 있으니 빨리 먹어라." 또는 "적당히 좀 먹어라." 심하면, "너는 참 가성비가 떨어져." 같은 것들? 극단적일지 몰라도 진짜 편한 사람 두세 명을 제외하고 밥 먹을 때 눈치를 많이 보게 됐다. 그런데 이런 별 것 아닌 말에 다정함을 느껴버려 리액션도 고장 났을 정도였다.

또 다른 T유형의 지인이 요즘 상담 공부를 하고 있다 길래 지나가는 말로 나도 최근에 많이 힘들어서 상담해줄 사람 필요했었다고 하다가 다른 이야기로 넘겼다. 몇 시간 뒤 고민을 많이 한 것 같은 장문의 연락이 왔다. 상담이 필요하다고 한 것이 진심이었는지, 정말로 원한다면 본인은 언제 시간이 가능한지 얘기해주며, 미리 작성해 올 서류도 함께 보내주었다.

MBTI가 F든 T든 이것이 중요하지 않다는 것을 알게 된 건, 누군가를 향한 애정과 관심들이 그 모두가 다정한 사람들이라는 것을 알게 해주었기 때문이다.

그리고 수동형 회피인간인 내가 무기력에서 나를 조금씩 끌어올려 마인드셋을 다시하기까지, 내 답답하고 더딘 성장의 1년을 기다려준 나의 룸메이트.

언니가 나를 사랑하고 이해하는 방식은 너무 다정했으며 너무나도 미안하고 고맙고 놀랍다.

그리고 깊고 어두운 내 세계 속에서 나조차 길을 잃고 헤매던 때에도 저 멀리에 늘 존재하던 불빛 한 줄기처럼, 그 불빛 따라 천천히 가까이 다가서면 따뜻함이 새어나오는 초가집 하나 나타나듯 그렇게.

한결같이 있어주어서 고맙다고, 나조차 나를 사랑하지 못한 오랜 순간에도 나를 소중하게 생각해주었던 모든 내 사람들에게 말하고 싶다.

마음이 좋아져서인지 그동안 느끼지 못했던 부분을 많이 느끼게 되었는데, 가만 돌이켜보면 정말로 내 주위에는 다정한 사람들이 많았다. 처음으로 나 되게 사랑을 받고 있었구나 하는 마음을 느꼈다.

어쩌면 영원히 알지 못했을 수도 있는데.

어쩌면 사랑받는다는 그 느낌을 느껴보고 싶다고 생각했던 내 마음을 들으신 건가. 그래서인지, 꼭 이성간의 사랑이 아니어도 충분히, 오히려 아니기 때문에 더 진심으로 내게 와 닿은 것 같다.

인연이 맺어진 사람들을 소중하게 여기고 관계를 유지하기 위한 많은 사람들의 각기 다른 표현방식들.

당연한 것은 없다. 모두가 노력한 만큼 영향력을 줄 수 있다. 나는 이 다정함에 어떻게 보답할 수 있을까.

유해한 세상에서 무해하게 살아간다는 것

누가 그랬다. 사람이 맑고 건전하고 건강하고 밝은 것은 절대 얕잡아 볼 것이 아닌 매우 강한 것이라고. 인생을 대하는 태도란 마치 척추 같아서 삐딱하긴 쉬워도 바른 자세로 있는 게 제일 어렵고 힘든 거라고.

세상이 너무나도 어둡다.

그래도 빛을 잃지 않으려고 노력하는 사람들이 있다.

이 빛의 존재가 어두움이 어두움이라고 인지할 수 있게 해주니 얼마나 다행인지. 이 세상모두가 '악'해진다면 '선'한 사람 한 존재가 얼마나 무리에서 동떨어져 보이는가. 환경을 거스른다는 건 결코 쉬운 일이 아니고 악하지 않은 나의 신념을 세우고 유지하는 것은 더욱이 어려운 사회인데.

계산적으로 살지 않는 사람은 바보가 되고
배려심이 많은 사람은 호구가 되고
정의로운 사람은 사회부적응자가 된다.

이런 악이 판치고 승리하고 눈감고 아웅하는 세상 속에서 똑같은 사람이 되지 않으려 노력하고 있지만 쉽지만은 않은 것 같다.

그럼에도 다양한 성향과 배움 속에 스스로 유해함보다 무해함을 선택한 사람들이 있다.
올 한 해 깨달은 것이 있다면, 내 주변에는 이런 무해한 사람들과 더불어 아직 온갖 무해한 것들이 넘쳐난다는 사실이다.

아침에 집을 나서면 따사로운 햇살이 나뭇가지들 사이로 반짝반짝 인사해주고, 그 빛은 세상의 모든 사물의 색깔을 다채롭게 만든다. 가끔 맑은 하늘과 예쁘게 떠있는 구름을 올려다보면 세상이 다 아름답다. 악하고 나쁜 것들은 다 어제 밤 꿈이었던 것처럼 흐려지고 새로운 날의 시작이다. 비록 오늘도 아프고 힘든 현실을 마주할지라도, 매일 뜨는 저 해는 내가 어제보다 조금 덜 힘들기를 응원해주는 것 같다.

삼냥이 집사 룸메이트 덕분에 작년부터 고양이들과 살게 되었는데, 그 중 한 마리가 나의 절친이 됐다. 아침에 눈을 뜨는 순간부터 스윽 다가와 인사해준다. 내가 생각에 잠겨있는 저녁에도 똘망똘망하고 촉촉한 눈으로 스윽 다가와서 나를 본다. 그러곤 자기머리를 쓰다듬고 기분이 좀 나아지길 바라는 것처럼 그 보들보들한 머리를 내밀어준다. 그게 귀여워서 마음이 조금은 부드러워진다. 늦은 밤에 자려고 누우면 또 기다렸다는 듯 옆 자릴 비집고 들어와 온기를 채워준다. 그러면 비로소 눈높이가 맞아서 내 얼굴에 보드라운 얼굴을 비빈다. 그 감촉이 너무 부드럽고 그 마음이 너무 귀여워서 벅찬 행복감이 들기도 한다. 이래서 동물을 키우는 건가 싶다. 이 무해한 존재가 부디 아프지 않고 오래 행복하기를 바란다.

룸메이트 언니는 내가 아는 사람 중에 가장 자신을 잘 알고, 가장 다채롭게 스스로의 삶을 꾸려가는 사람이다. 그러면서도 가장 무해한 모습으로 여러 사람들이 그 사랑스러움에 빠지면 헤어 나오지 못할 정도로 매력적인 사람이다. 언니는 '오늘의 집'에 여러번 소개 될 정도로 셀프인테리어를 잘한다. 최근에는 짧은 코너지만 공중파 방송에까지 나오기도 했다. 유튜브 '또만나율'채널에 가보면 언니가 살아가는 방식들과 무해한 삶의 모습이 몇 가지 올라와 있다.

여기까지 얘기하면 언니가 몹시 굉장하고 대단한 사람으로만 보이지만, 사실 오랜 시간동안 고생하며 살아왔고 몸도 마음도 힘들고 아팠던 순간이 많았다. 이런 누구보다 인간적인 언니의 가장 큰 장점은 바로 스스로와 주변인들의 행복을 챙기고 그들을 사랑할 줄 아는 사람이라는 것이다.

나와 언니는 그 무해함의 결이 잘 맞았던 것 같다. 사소한 것으로 행복한 것도, 취향도, 생각의 흐름이나 고민도 다른 듯 비슷한 언니가, 나와 달랐던 점이 있다면 스스로의 불안을 다스리며 좋아하는 것들을 추진할 줄 알고, 자신의 삶을 다채롭게 꾸려나가는 주체적인 모습이었다.

나는 나를 극복해낼 환경의 변화가 필요했고, 가장 닮고 싶고 배울 점 많은 언니와 함께 사는 환경을 택했다. 이 선택에 후회는 없다. 오래 헤매던 내 방황을 비로소 끝내고 한 걸음 나아가게 해줬기 때문에.

이 밖에도 나와 인연을 맺고 있는 내 주변인들은 각자 다른 일을 하지만 비슷한 고민을 하고, 사소한 것들로 행복해 하고, 또 너무나 무해하다. 이들을 보고 있으면 악하고 슬픈 것들은 흐릿해지고, 함께 있는 나 또한 같이 무해해진다. 덕분에 아직 나의 세상은 무해하다.

아직은 이렇게 우물 안 개구리로 사는 것도 나쁘지 않을지도?

여섯 번째 작가, 최진호

Instagram: @ruah0_828

살다 보니 글 쓰는 재주를 발견하게 되고
살다 보니 드라마 작가도 해 보고
살다 보니 동화 작가도 해 보고
살다 보니 연극과 뮤지컬 대본도 써 보고
살다 보니 영화 시나리오도 써 보고
살다 보니 그 고상하다던 시를 써 보고
살아내다 보니 이렇게 이야기꾼이 되어 있고…

목욕탕은 언제나 좋아

물에 있는 걸 좋아하다 보니 수영장, 바다, 워터파크 등 물에서 뭔가를 할 수 있는 곳은 다 좋아한다. 그렇다고 수영을 즐겨한다기보단, 그저 물에 있는 것 자체가 좋아서 익사이팅 한 곳보다는 고즈넉한 곳이 좋다. 예를 들면 '목욕탕'이다. 코로나 이후로 목욕탕에 가는 횟수가 부쩍 줄고, 그냥 집에서 씻다 보니 목욕탕을 가 본 지는 꽤 되었던 것 같다. 하지만 언제나 목욕탕이 주는 그 오묘한 느낌은 늘 기분이 좋다.

좀 더 구체적으로 나만의 오묘한 느낌을 표현해 보자

면, 어렸을 때 동네에 대중목욕탕이 있었다. 어떤 골목길을 지나갈 땐 목욕탕 옆에 있는 샛길을 지나가야 했는데 목욕탕 창살 문에선 수증기가 늘 새어 나오고 있었다. 좀 더 가까이 가면(그렇다고 목욕탕 안의 사람들이 보이진 않는다;;;) 사람들이 씻는 소리, 물을 끼얹고 샤워기를 틀고, 탕에 들어가는 소리가 마치 에코처럼 울려서 들린다. 그리고 샴푸 냄새인지, 비누 냄새인지 모를 뭔가 기분 좋은 향기가 수증기와 함께 나는 것 같아 그 길을 꽤 자주 지나쳤던 기억이 난다. 목욕탕도 여러 곳을 자주 다녀본 건 아니지만 아직 좋은 기억에 남았던 동네 목욕탕들이 있었다. 하지만 대부분의 목욕탕이 현재까지 명맥을 유지하는 곳이 별로 없었다. 좀 전에 나누었던 수증기가 나오던 그 목욕탕도 지금은 고시학원이 되었으며 열탕과 사우나의 분위기가 은은했던 또 다른 동네 목욕탕은 지금은 목욕탕 건물과 시설을 그대로 카페(?)로 개조한 목욕탕도 있었다. 좀 아쉽기도 하고 또 새로운 곳을 가 보기엔 머뭇거리던 찰나에, 생각지도 못했던 목욕탕을 가게 되었다. 그곳은 바로 '일본'이었다.

올해 여름에 아내와 함께 오랜만에 일본으로 여행을 갔다. 일단 아내가 임신하고 곧 출산할 예정이라 여러 계획을 소화하기엔 무리였고 최소한의 동선으로 알찬 여행 일정을 짜고 싶었다. 그러기엔 숙박시설이 좋아야 하는데 몇 날 며칠을 구글링과 블로그를 뒤진 결과, 가성비 좋고 교통도 가까우며 어느 정도 시설이 괜찮은 곳을 찾았다. 그리고 무엇보다 내 마음에 합했던 것은 바로 이 호텔 안에 있는 '목욕탕'이었다. 특이한 건 이 목욕탕에 나오는 물이 온천수였고 나름 이 동네에선 전통도 있고 현지인들도 자주 간다는 점이었다. 사진을 보니 괜찮은 것 같아 목욕탕 시설 이용이 포함된 가격으로 결제했다. 첫날 하루 일정을 보내고 저녁이 되어 목욕탕을 갈 준비를 했다. 아쉽게도 임신한 아내는 뜨거운 물에 들어가면 자궁이 열릴 수도 있어 나 혼자만 이용했다(여보 미안해!). 호텔에서 준 유카타를 입고 나무로 된 나막신을 신고 엘리베이터를 이용했다. 유카타 안에 속옷만 입고 있어서인지 무척 어색했다. 목욕탕 입구로 들어가 안내하는 분에게 방 번호를 적고 키를 건네주자 친절하게 목욕탕 이용을 설명해 주었다. 나는 신발을 신발장에 넣고 목욕탕 안으로 들어갔다.

정말 얼마 만에 목욕탕인지…. 그리고 그 오랜만의 해후가 한국이 아닌 다른 나라의 일본이라 더 특별하게 느껴졌다. 탈의실에서 옷을 갈아입고 목욕탕으로 들어가던 찰나에 내 눈에 들어온 것은 일본인들이 수건 두 장을 가져가는 모습이었다. 한 장으론 몸을 가볍게 가리고 다른 한 장은 물에 적셔 머리에 올려두고 있었다. 로마에 오면 로마법을 따른다고 했던가, 나는 그네들과 똑같이 수건 두 장을 챙겨 그렇게 목욕탕 안으로 들어갔다.

입구에 들어가자마자 가장 먼저 눈에 들어온 것은 가볍게 몸을 먼저 씻을 수 있는 나무통이었다. 한국처럼 그냥 샤워하면 되지 않나? 생각했지만 여기 문화가 그러하니 나도 나무로 된 바가지에 물을 채워 몸과 발을 씻었다. 그리고 한 쪽에 앉아 가볍게 샤워를 한 후에 소문의 온천수가 부글부글 끓고 있는 온탕에 들어가 보았다. 앗 뜨거워!! 생각했던 것보다 더 뜨거워서 깜짝 놀랐다. 하지만 애써 태연한 척하며 온천수 안에 몸을 깊게 뉘었다. 한 1분을 그렇게 있었나? 이마에선 땀이 송골송골 맺히지만, 이상하게 몸이 풀리는 느낌이었다. 하지만 5분 이상은 못 있을 것 같아 잠깐 나와서 차가운 물로 몸을 식히고 한쪽에 있는 열탕에 들어가 보았다.

열탕은 좀 전의 온탕과는 달리 뭔가가 부글부글 끓거

나 올라오지 않고 고요하게 있었다. 나는 온탕의 뜨거운 기억이 있어 살짝 발가락을 넣어 보았지만 그렇게 뜨겁지는 않아 그대로 들어갔다. 한쪽에 벽에 기대고 앉아 있자 그제야 목욕탕 내부가 눈에 들어왔다. 창가 쪽엔 은은한 할로겐 조명과 대나무를 장식한 인테리어들이 있었고 조명의 조도 자체도 환한 느낌보단 잔잔한 느낌으로 하여 대체로 안락한 분위기를 주고 있었다. 그러다 보니 나도 모르게 눈이 감기게 되고 내 귓가엔 어렸을 때 목욕탕 골목길을 지나며 들었던 그 에코 잔뜩 넣은 목욕탕 효과음이 들렸다.

온탕의 화끈한 느낌과는 다르게 기분 좋은 온도 때문일까? 노곤한 몸과 마음에 그냥 그 자리서 자고 싶었다. 하지만 계속 기다릴 아내가 떠올라 적당히 마무리하고 목욕탕을 나왔다. 옷을 갈아입고 나막신을 신고 나오는데 내 눈앞에 있는 음료자판기. 이 음료자판기를 보자마자 '아 동전 가져올걸...'하는 생각이 가장 먼저 들었다. 투명한 창을 보이는 안의 내용물엔 바나나 우유도 있었고 시원한 탄산음료도 있었는데 수중에 돈이 없어 아쉬운 마음으로 방에 돌아왔다. 동전만 가져가서 목욕 끝나고 바나나 우유만 마셨더라도 정말 완벽했을 텐데 그러질 못해 너무 아쉬웠다. 하지만 내일도 있다!

내일은 무슨 일이 있더라도 동전을 챙겨오리라!

이처럼 나에게 목욕탕은 언제나 좋고, 언제나 옳다. 특히 올해 기억나는 건 바로 이 일본 여행의 목욕탕. 종종 생각이 나고 다시 또 일본을 방문할 땐, 그땐 아내와 우리 아기와 함께 이 기분 좋은 목욕탕 문화를 즐겨보길 소망해 본다.

목욕탕은 언제나 좋다.

루아의 탄생

2023년을 돌아보며 가장 큰 추억은 바로 우리 아기, '루아의 탄생'이었다. 행복한 결혼 생활을 이어가며 자연스레 아기도 생길 거라고 하는 바람은 있었지만, 생각처럼 쉽지는 않았다. 그 사이 몇 번의 임신 소식이 있었지만, 유산의 아픔을 겪었고 그때마다 우리 부부의 아픔은 이루 말할 수 없었다. 하지만 희망의 끈을 놓지 않았고 때가 되면 자연스럽게 선물로 주실 거라고 하는 마음으로 살아갔었다. 그리고 2022년의 말. 몇 년 만에 아내와 함께 캐나다로 갔었다. 내가 10여 년 가까이 살아온 곳이었고 결혼 후에 캐나다에 있는 지인들이 아내를 한 번도 보지 못했던 터라 겸사겸사 아내와 함께 캐나다로 9박 10일이라는 일정으로 다녀오게 되었다.

겨울의 캐나다는 매우 추웠다. 캐나다는 가을의 나라이고 빨갛게 익어가는 단풍이 참 매력적인 나라인데 우리의 일정이 가을에 맞지 않아 어쩔 수 없이 겨울에 가게 되었다. 하지만 결혼 후에 혼자가 아닌, 둘이 함께 찾은 캐나다는 정말 감사하고 보석 같은 아름다운 시간이었다. 싱글로 있을 때 나를 너무나 아껴주고 잘 대해주셨던 목사님 내외분이 선뜻 본인의 집으로 초대해 주시고 머물게 해주셨다. 참 쉽지 않은 결정이었음에도 목사님 부부의 섬김과 사랑으로 우리 부부는 캐나다에서 있는 동안 많은 쉼과 재충전을 누릴 수 있었다.

그리고 한국으로 돌아온 지 얼마 되지 않았을 때, 아내가 카톡을 통해 내게 사진 한 장을 보여주었다. 그 사진엔 임신테스트기가 있었는데 선명하게 빨간 줄이 두 줄 그어져 있었다. 나는 아내를 찾아갔고 아내는 울먹이며 임신 소식을 알렸다. 나는 아내를 안아주며 우리가 믿는 하나님께 감사와 기도를 드렸다. 하지만 당장 이 소식을 주변에 알리기보다 얼마 동안의 안정기를 갖고 알리기로 서로 마음먹었다. 그리고 안정기가 지나 산부인과에서 임신이 확실하다고 말하는 순간, 우리는 당장 양가 부모님에게 이 기쁜 소식을 알렸다. 양가 부모님도 너무나 좋아해 주셨고 이제 우리는 안전하고 건강하게 배 속에 있는 아가가 잘 자라주길 노력했다.

시간이 흘러 산부인과에서 처음으로 초음파 사진을 찍었을 때, 우리 눈앞에 나타난 그 생명체는 눈으로 보고도 믿을 수 없어 차마 말을 잇지 못하였다. 엄지손가락 크기로 자라 꼬물꼬물 움직이는 생명체(아직 아가라 자연스럽게 부르진 못하였다;;;)를 보며 얼마나 감동이 되고 눈물이 나던지…. 그 영상을 고스란히 녹화해서 앱을 통해 양가 부모님에게 전해드리고 이제 설레는 기다림으로 아가를 맞이할 준비를 하였다. 안정기에 접어들고 아내의 배도 제법 나왔을 때, 둘이 출산 전 마지막으로 일본 여행도 다녀오고 아기 침대를 비롯한 여러 아기용품을 사놓기 시작했다. 이제 곧 출산일이 임박하자 우리 부부는 분주하기 시작했다. 집 안 실내장식도 바꾸고 아내의 방은 어느새 아기용품들로 꽉 채워져 있었다.

그리고 예정일이 다가왔다. 그런데 예정일이 다가올

때쯤, 산부인과에 가 보니 아기의 상태는 건강하나 세상 밖으로 나올 생각을 안 하고 있다고 한다. 그리고 의사 선생님은 이제 결정해야 할 때가 왔다며 제왕절개를 하자고 하였다. 전혀 생각지도 못했던 이야기였다. 아내는 자연분만을 원했고 이 자연분만을 위해 그동안 십 년 넘게 요가로 몸을 준비하고 자연분만에 관련된 유튜브도 엄청나게 봤었는데 난데없는 제왕절개라니! 그런데 수술하게 되면 수술 날짜가 바로 내일이었다.

우리는 급한 마음에 여기저기 알아봤는데 아는 지인이 산부인과 의사이고 그분도 임신했는데 본인도 제왕절개로 수술할 예정이라고 했다. 그 말에 우리는 제왕절개로 수술하기로 결정 하고 집으로 돌아갔다. 집에 돌아와 이것저것 챙기면서 마음이 이상했다. 머릿속엔 여러 영화나 드라마에서 봤던 것처럼 일상생활을 이어오다 갑자기 진통이 시작되고 119를 불러 급박하게 병원에 가는 걸 상상했는데 그게 아니라 평소처럼 산부인과에 진료받으러 가는 것처럼 간다고 생각하니 이상했다. 뭔가 묘한 마음을 안고 다음 날 우리는 산부인과에 갔다. 그리고 수술 준비를 하고 아내는 분만실로 들어갔다.

분만실 밖에 혼자 남겨진 나는 기도를 드렸다. 제발

아기와 아내 모두 건강하게 출산하고 세상에 나올 수 있도록…. 앞으로 수술 시간이 얼마나 걸릴지는 모르겠지만 이 시간 가운데…. 보호자님! 아기 나왔어요! 네??? 정말 아내가 들어간 지 얼마 되지 않았는데 간호사분이 나를 불렀다. 어리둥절한 가운데 분만실 문이 열리자, 안쪽에서 우렁찬 아기 울음소리가 들렸다.

"산모와 아기 모두 건강합니다. 아빠가 되셨어요, 축하합니다."

"아…. 네…. 감사합니다."

나는 아직도 뭐가 뭔지 몰라 얼떨떨해 있었다. 그런 나에게 녹색 이불에 싸인 아기가 내게로 왔다. 그리고 옆에 있는 간호사분이 내게 가위를 쥐여주며 탯줄을 잘라 달라고 말하였다. 나는 아기를 바라봤는데 아기는 생명의 울음소리를 내고 있었고 배꼽엔 기다란 탯줄이 연결되어 있었다. 나는 짧게 심호흡하고 가위를 들어 탯줄을 잘랐다.

'싹둑!'

나는 탯줄을 자를 때 뭔가 눈물이 터져 나오고 감동이 쓰나미처럼 몰려올 줄 알았는데 그런 감정은 없어서 오히려 이상했다. 하지만 수술 침대에 아내가 실려 나오는 걸 보는 순간 눈물이 터져 나왔다. 우렁차게 울고 있는 아기를 보며 희미하게 웃고 있는 아내를 보는 데

내 마음이 이루 말할 수 없는 감동이 있었다. 나는 수고 많았다고, 정말 수고 많았다고 말해주었다. 그리고 아내와 나, 아기와 함께 침대에서 셀카를 찍었다.

그렇게 2023년 8월 31일 오후 1시 30분에 우리 아기, 루아가 탄생하였다.

일곱 번째 작가, 뽀뽀리

Instagram: @lovelybbohee

내가 바라보고 있는 그것이 존재 그 자체로 바라볼 수 있기를 바랍니다. 아이처럼 맑고, 강아지처럼 맡고, 세상의 편견으로부터 막고, 있는 모습 그대로를 담아내서 맛있는 풍미를 느끼는 글이 되길, 배부른 한 끼 식사가 되길, 영원히 목마르지 않는 물이 되길 소망합니다.

Dear. 나의 당신

늘 마음속에만 머물러 있던 말을 이곳에 담아 보아요. 저는 올해 15살이에요. 사실 아무도 내 나이, 내 삶을 제대로 모를 줄 알았어요. 나의 당신을 만나기 전까지는 말이에요.

어쩌면 긴 소풍을 갈 뻔했을 그날, 당신이라는 사람을 처음 만나게 됐는데, 그때를 아직도 잊지 못해요. 낯선 집에서 날 향해 지긋이 바라봐줬던 그 따뜻한 눈빛. 두 입술을 앙다물고 나를 유심히 보던 그 호기심 가득한 눈을 기억해요. 환한 빛 같았어요. 아! 그런데 요즘엔 그 눈에 물이 차 있어요. 당신도 저처럼 늘 눈곱이 생기나 보죠?

진지하게 고백하자면, 요즘에 당신을 기다리면서 당신을 위해 해줄 수 있는 것이 뭐가 있을까 곰곰이 생각해 보고 있었는데요. 드디어 생각 끝에 당신을 웃게 해줄 수 있는 방법을 찾았어요. 그건 바로바로!! 당신을 위해 산책하는 거예요. 그동안은 나를 위한 산책을 했거든요? 이젠 당신과 발맞추고, 당신을 바라보고, 당신과 같이 걷는 산책을 할 거예요. 당신도 산책이 즐겁죠? 저는 다 알아요. 그리고 또 생각한 것은 당신 옆을 딱 지키는 거랍니다. 아아, 이걸 빼먹을 뻔했어요. 계속해서 바라보기! 귀 기울이기! 이렇게 네 가지를 다 실천해서 당신을 항상 웃게 할 거예요.

나는 또 가끔 당신을 바라보면서 생각해 봐요. 어떤 게 당신을 기쁘게 하는 삶이고, 당신 옆에서 어떻게 사는 게 값지게 사는 삶일까? 음... 간식 먹는 일? 매일 매일 산책하면서 간식 먹는 일? 건강하고 아프지 않게 간식 먹는 일? 후유. 쉽지 않네요. 이건 조금 더 생각해볼게요.

이곳에 온 지 이제 3년째가 됐어요. 그동안 친구들도 새로 사귀고, 처음엔 낯설었던 산책길도 이젠 꽤 익숙해졌죠. 다 좋은데 한 가지 너무 아쉬운 건 그전에 살던 곳에 정든 나무가 있었는데, 아쉽게도 그 나무와 작별 인사를 못 하고 온 거예요. 멀리서 인사를 보내는 것으로 만족해야겠죠?

제가 너무 다른 이야기만 했네요. 쑥스럽지만 그래도 이 이야기를 꼭 전하고 싶었어요. 어떻게 진심을 전할까 고민했는데, 잘 전해지기를 바랍니다.

음..
음..

어.. 흠..

고마워요. 날 받아줘서.
고마워요. 날 안아줘서.
고마워요. 날 향해 웃어줘서.
고마워요. 내 머리를 쓰다듬어 줘서.
고마워요. 나와 산책해 줘서.
고마워요. 나랑 눈 마주쳐줘서. 나에게 노래해 줘서.
고마워요. 나의 눈에 좋은 추억을 담아줘서.
고마워요. 내 옆에서 잠들어줘서.
고마워요. 내 상처를 만져줘서.
고마워요. 날 살려줘서.

미안해요. 자꾸만 아파서.
미안해요. 말썽 피워서.
미안해요. 겁이 많아서. 연약해서.

사랑해요. 정말 많이. 사실 때도 많이 쓰고, 말썽도 많이 부리고, 엄청 의기양양하게 당당한척 하며 으르렁거렸지만 사실 나는 당신 없이는 하루도 못 살아요. 매일매일 당신을 위해 살겠다고, 또 그렇게 살고 싶다고 고백했는데, 자꾸만… 자꾸만… 실수를 반복하고, 넘어져요. 이런 부족한 나를 이해해 줄 수 있나요?

미안해요. 조그만 일에도 화를 내게 되고, 두렵고 불안에 떨어요. 당신이 잠깐 밖에 나가 있는 동안에도 씩씩하고 싶은데, 자꾸만… 자꾸만… 불안해요. 그래서 더 목소리 높여서 소리를 지르게 돼요. 당신이 무사히 돌아올 줄도 다 아는데, 눈에 보이지 않을 때, 나도 모르게 자꾸만 흔들려요. 미안해요. 더 강하고 담대한 충성된 제가 되고 싶은데 말이죠.

나의 당신. 그저 당신을 위해 할 수 있는 일은 나의 이 한 몸을 바쳐 당신의 충성된 종으로서 당신을 지키고, 당신이 주는 간식을 먹고, 당신의 옆에 기대어 엎드리는 게 전

부이지만 항상 당신을 사랑하고 있다는 것만 잊지 말아줘요.

나의 당신. 저는 당신과 함께할 때 이 세상 최고 행복해요. 당신과 매일 아침에 같이 눈을 뜰 때, 서로의 눈을 보며 아침 인사 할 때, 밖에 나갔던 당신이 문 열고 들어와 나를 반겨줄 때, 내 머리를 쓰다듬어 줄 때, 나의 마음을 그 누구보다 잘 안다고 해줄 때, 당신과 함께 산책할 때, 산책하며 같이 기다란 횡단보도를 건널 때, 침대에서 같이 잠들 때, 정말 제일! 제일! 제일! 행복해요.

제가 해 드릴 수 있는 건 없지만 내가 당신의 손과 발이 되어드릴게요. 내가 당신의 눈이 되어드릴게요. 그리고 온 세상 친구들에게 나의 당신에 대해서 자랑할게요. 그리고 당신을 위해 언제나 노래하는 제가 될게요.

나의 당신. 영원히 사랑합니다.

From. 당신을 위해,

당신이 사랑하는 모든 것을 위해 기도하는

뽀뽀 올림.

Dear. 뽀뽀

이 편지를 보고 있을 때면 우리가 천국에서 다시 만나 이 날을 회상하며 도란도란 이야기를 나누고 있겠지?

나의 사랑하는 어여쁜 뽀뽀야. 쌔근쌔근 잠든 너의 모습에 마냥 행복하게 바라보고만 있다가 순간 언제 깊은 잠이 들지도 모른다는 생각이 들 때면 갑자기 불안감이 엄습하기도 한단다. 하지만 곧이어 살아있는 이 순간을 즐기기 위해, 너와 지금 함께하는 이 시간을 추억하기 위해 다시금 미소 지어보아.

뽀뽀야. 그거 아니? 넌 내게 큰 기쁨이라는 것을. 네가 웃을 때 난 가장 행복해. 좋아하는 간식 앞에서 모든 삶이

이 간식에 달린 것 같은 진지함으로 나를 바라볼 때, 넌 심각한데 난 왜 이렇게 귀엽고 웃음이 나오는지... 그 간식을 먹고 행복해하는 너의 모습을 보며 나 또한 행복을 느낀단다.

뽀뽀야! 너는 나에게 사랑할 수 있는 마음을 알려준 존재야. 너를 보며 미소를 짓게 되고, 너를 보며 다시 열심히 살아야 할 힘이 생기게 된단다. 너는 존재만으로도 충분해. 때로는 발을 헛디뎌 다칠 때도 있고, 간식을 못 먹어 억울할 때도 있고, 실수를 할 때도 있고, 속상할 때도 있겠지만 지금처럼 우리 잘 헤쳐 나가보자.

뽀뽀야. 살다 보면 정말 이해가 안 되는 일도 많을 거야. 그래서 늘 결과에 중심을 두기보단 과정에 중심을 두는 게 좋아. 목표가 결과를 이루는 것에 있으면 그 결과를 향해 달려갈 수밖에 없거든? 그러면 지금, 이 순간을 보지 못하고 느끼지 못해. 그러면 이 세상의 아름다움을 온전히 느낄 수 없단다. 산책할 때, 특히 간식 먹을 때 명심하렴.

뽀뽀야! 때로는 뻣뻣하게 힘을 꽉 주고 소리 내는 것보다 소리는 작더라도 울려 퍼지는 공명에 소리가 더 크게, 더 오래 남을 때가 있단다. 그 울림에 기대감을 싣고, 사랑을 담고, 기쁨을 담아 온 세상을 울릴 수 있는 네가 되면 좋겠어.

뽀뽀야! 그리고 내가 강조하고 싶은 말이 있어. 울고 싶을 땐 맘껏 울어도 돼! 소리 내서 엉엉 울어도 돼. 아프거나 속상할 때, 꼭 그렇게 하면 좋겠다. 너는 충분히 그럴 자격이 있어. '아픔'을 '아프다.'라고 표현하는 것도 훈련이거든. '앉아!', '엎드려!', '하이 파이브!'. 여기까지 우리 잘 해냈지? 이제 '저 아파요!'라고 꼭 표현하는 네가 되길.

그리고 뽀뽀야! 최선을 다하지 마. 삶을 갈아 넣는 최선은 절대 해서는 안 된단다. 내가 간식을 늘 조그맣게 나눠주다가 가끔 큰 간식을 주면 두고두고 지키고 있지? 최선을 다해 지키고 있는 너의 모습에 '얼른 저걸 다 먹어야 또 다른 무언가를 더 줄 텐데….'라는 생각을 할 때가 많거든. 그리고 또 다른 관점에서 얘기해 보자면 '모든 힘을 다해 최선을 다한다.'라는 것은 평소와 다르게 더욱 힘내서 노력한다는 것이 되고, 결국 다시 평소로 돌아가는 상황이 오게 되면 이상한 허무함이 올 수도 있을 거란 뜻이야. 그래서 정말 진정한 의미의 '최선을 다한다.'라는 것은 매일 매일 최선을 다해 살 수 있도록 해놓아야 한단다. 그게 삶 그 자체가 되도록. 최선을 다하는 것이 '최선의 가치 있는 삶'을 위한 것이 아닌 '최선의 욕심'이 되지 않도록 조심하길 바란다.

뽀뽀 넌 정말 최고야. 표현을 맘껏 못해도 괜찮아. 너는 너의 존재만으로 멋져. 혹시 가끔 용기가 필요하니? 용기가 없다고 생각해? 용기는 양이 아니란다. 비교할 수 있는 게 아니야. 용기는 아주 조그마하게 있어도 있는 것이란다. 그것이 정말 아주 작을지라도. 용기는 자신 안에 있는 씩씩함과 굳센 믿음이거든. 내 안에서 아주 작은 믿음이 있다면 그것으로 된 거야.

마지막으로 뽀뽀야! 항상 나를 의지하고, 나를 믿어줘서 고마워. 언제나 작은 곳에 마음을 다해 힘써줘서 고마워. 나를 믿고, 나를 기대해 줘서 고마워. 내 옆에 다가와 엎드리며 평안함을 누려줘서 고마워. 난 그저 더 많이 못 해줘서 미안할 뿐이야. 먼 훗날, 이 이야기를 다시 너와 나눌 때, 우리 서로 안아주며 속삭여보자. 너무너무 사랑한다고.

늘 즐거움을 잃지 않기를. 언제 어디서나 일어나 나와 같이 함께 하자. 나의 사랑, 내 어여쁜 뽀뽀야.

From. 너의 당신.